中华人民共和国国家标准

取向硅钢生产线设备安装与验收规范

Code for installation and acceptance for engineering equipment of grain-oriented silicon steel production line

GB 51104-2015

主编部门：中国冶金建设协会
批准部门：中华人民共和国住房和城乡建设部
施行日期：２０１６年２月１日

中国计划出版社

2015　北京

中华人民共和国国家标准
取向硅钢生产线设备安装与验收规范
GB 51104-2015

☆

中国计划出版社出版

网址：www.jhpress.com

地址：北京市西城区木樨地北里甲 11 号国宏大厦 C 座 3 层

邮政编码：100038　电话：(010) 63906433 (发行部)

新华书店北京发行所发行

北京市科星印刷有限责任公司印刷

850mm×1168mm　1/32　2.75 印张　67 千字
2016 年 1 月第 1 版　2016 年 1 月第 1 次印刷

☆

统一书号：1580242・802

定价：23.00 元

版权所有　侵权必究

侵权举报电话：(010) 63906404

如有印装质量问题，请寄本社出版部调换

中华人民共和国住房和城乡建设部公告

第 813 号

住房城乡建设部关于发布国家标准《取向硅钢生产线设备安装与验收规范》的公告

现批准《取向硅钢生产线设备安装与验收规范》为国家标准，编号为 GB 51104—2015，自 2016 年 2 月 1 日起实施。其中，第 2.0.17、11.1.7 条为强制性条文，必须严格执行。

本规范由我部标准定额研究所组织中国计划出版社出版发行。

中华人民共和国住房和城乡建设部
2015 年 5 月 11 日

前　言

本规范是根据住房和城乡建设部《关于印发〈2011年工程建设标准规范制订、修订计划〉的通知》(建标〔2011〕17号)的要求,由中国五冶集团有限公司会同有关单位共同编制完成的。

本规范在编写过程中,进行了广泛的调查研究,总结了多年来的工程施工实践经验,并在广泛征求有关单位和专家意见的基础上反复修改,最后经审查定稿。

本规范共分11章和5个附录,主要技术内容包括:总则,基本规定,设备基础、地脚螺栓和垫板,设备及材料进场,剪切设备,带钢连接设备,带钢表面处理设备,卧式连续退火炉,烘烤炉,环形退火炉,安全及环保等。

本规范中以黑体字标志的条文为强制性条文,必须严格执行。

本规范由住房和城乡建设部负责管理和对强制性条文的解释,由中国冶金建设协会负责日常管理,由中国五冶集团有限公司负责具体技术内容的解释。本规范在执行过程中,请各单位认真总结经验,积累资料,随时将有关意见和建议反馈给五冶集团上海有限公司(地址:上海市宝山区铁力路2501号,邮编:201900,传真电话:021-36214485,E-mail:shwyjszx@163.com),以供今后修订时参考。

本规范的主编单位、参编单位、主要起草人和主要审查人:
主 编 单 位:中国五冶集团有限公司
参 编 单 位:五冶集团上海有限公司
中国二十冶集团有限公司
主要起草人:陈红武　靳颂胜　代智肆　徐丽玲　王　翔
张大勇　李建全　袁旭东　李　曦　陈和平

　　　　　　兰　静　李志芬　王　宏
主要审查人：周　勤　郭启蛟　李长良　郑永恒　庞遵富
　　　　　　严江生　赵　聪　李　军　匡礼毅　余华春
　　　　　　杨铁荣　颜　钰　张海军　徐杰颖

目 次

1 总　则 ……………………………………………………… （1）
2 基本规定 …………………………………………………… （2）
3 设备基础、地脚螺栓和垫板 ……………………………… （5）
　3.1 设备基础施工 ………………………………………… （5）
　3.2 设备基础验收 ………………………………………… （5）
　3.3 地脚螺栓安装 ………………………………………… （6）
　3.4 地脚螺栓验收 ………………………………………… （7）
　3.5 垫板安装 ……………………………………………… （7）
　3.6 垫板验收 ……………………………………………… （8）
4 设备及材料进场 …………………………………………… （9）
　4.1 一般规定 ……………………………………………… （9）
　4.2 设备及材料验收 ……………………………………… （9）
5 剪切设备 …………………………………………………… （11）
　5.1 月牙剪安装 …………………………………………… （11）
　5.2 月牙剪验收 …………………………………………… （11）
　5.3 圆盘剪安装 …………………………………………… （11）
　5.4 圆盘剪验收 …………………………………………… （12）
　5.5 横切剪安装 …………………………………………… （12）
　5.6 横切剪验收 …………………………………………… （13）
　5.7 剪切设备试运转 ……………………………………… （13）
6 带钢连接设备 ……………………………………………… （15）
　6.1 缝合机安装 …………………………………………… （15）
　6.2 缝合机验收 …………………………………………… （15）
　6.3 激光焊机安装 ………………………………………… （15）

6.4 激光焊机验收 …………………………………………（16）
6.5 窄搭接焊机安装 ………………………………………（16）
6.6 窄搭接焊机验收 ………………………………………（16）
6.7 带钢连接设备试运转 …………………………………（17）
7 带钢表面处理设备 …………………………………………（18）
7.1 抛丸机安装 ……………………………………………（18）
7.2 抛丸机验收 ……………………………………………（18）
7.3 碾压辊安装 ……………………………………………（18）
7.4 碾压辊验收 ……………………………………………（18）
7.5 带钢干燥器安装 ………………………………………（19）
7.6 带钢干燥器验收 ………………………………………（19）
7.7 涂油机安装 ……………………………………………（20）
7.8 涂油机验收 ……………………………………………（20）
7.9 涂层机安装 ……………………………………………（20）
7.10 涂层机验收 …………………………………………（21）
7.11 带钢表面处理设备试运转 …………………………（22）
8 卧式连续退火炉 ……………………………………………（23）
8.1 炉体钢平台安装 ………………………………………（23）
8.2 炉体钢平台验收 ………………………………………（23）
8.3 炉室安装 ………………………………………………（24）
8.4 炉室验收 ………………………………………………（25）
8.5 炉内设备安装 …………………………………………（26）
8.6 炉内设备验收 …………………………………………（27）
8.7 炉体气密性试验 ………………………………………（27）
8.8 卧式连续退火炉试运转 ………………………………（28）
9 烘烤炉 ………………………………………………………（29）
9.1 炉体钢平台安装 ………………………………………（29）
9.2 炉体钢平台验收 ………………………………………（29）
9.3 炉室安装 ………………………………………………（30）

9.4	炉室验收 ……………………………………………	(31)
9.5	炉内设备安装 ………………………………………	(31)
9.6	炉内设备验收 ………………………………………	(31)
9.7	烘烤炉试运转 ………………………………………	(32)
10	环形退火炉 ……………………………………………	(33)
10.1	支撑辊、导向辊安装 ………………………………	(33)
10.2	支撑辊、导向辊验收 ………………………………	(33)
10.3	炉体钢结构安装 ……………………………………	(34)
10.4	炉体钢结构验收 ……………………………………	(34)
10.5	下部台车安装 ………………………………………	(35)
10.6	下部台车验收 ………………………………………	(35)
10.7	旋转钢平台安装 ……………………………………	(36)
10.8	旋转钢平台验收 ……………………………………	(36)
10.9	炉壳安装 ……………………………………………	(37)
10.10	炉壳验收 …………………………………………	(37)
10.11	上部台车安装 ……………………………………	(37)
10.12	炉门安装 …………………………………………	(38)
10.13	炉门验收 …………………………………………	(38)
10.14	环形退火炉试运转 ………………………………	(38)
11	安全及环保 ……………………………………………	(40)
11.1	安全 …………………………………………………	(40)
11.2	环保 …………………………………………………	(41)
附录 A	取向硅钢生产线设备安装分部分项工程划分表 ………………………………………	(42)
附录 B	取向硅钢生产线设备安装分项工程质量验收记录 …………………………………	(44)
附录 C	取向硅钢生产线设备安装分部工程质量验收记录 …………………………………	(45)
附录 D	取向硅钢生产线设备安装单位工程质量	

　　　　验收记录 …………………………………………………（46）
附录E　取向硅钢生产线设备无负荷试运转记录 …………（49）
本规范用词说明 …………………………………………………（50）
引用标准名录 ……………………………………………………（51）
附：条文说明 ……………………………………………………（53）

Contents

1 General provisions ...... (1)
2 Basic requirements ...... (2)
3 Equipment foundation, anchor bolt and base plate ...... (5)
   3.1 Equipment foundation construction ...... (5)
   3.2 Inspection and acceptance of equipment foundation ...... (5)
   3.3 Erection of anchor bolts ...... (6)
   3.4 Inspection and acceptance of anchor bolts ...... (7)
   3.5 Erection of base plates ...... (7)
   3.6 Inspection and acceptance of base plates ...... (8)
4 Equipment and materials mobilization ...... (9)
   4.1 General requirements ...... (9)
   4.2 Inspection and acceptance of equipment and materials ...... (9)
5 Shearing equipment ...... (11)
   5.1 Installation of notcher ...... (11)
   5.2 Inspection and acceptance of notcher ...... (11)
   5.3 Installation of circle shear ...... (11)
   5.4 Inspection and acceptance of circle shear ...... (12)
   5.5 Installation of cross-cut shear ...... (12)
   5.6 Inspection and acceptance of cross-cut shear ...... (13)
   5.7 Test running of shearing equipment ...... (13)
6 Strip steel connection equipment ...... (15)
   6.1 Installation of stitcher ...... (15)
   6.2 Inspection and acceptance of stitcher ...... (15)

6.3　Installation of laser welder ……………………………………（15）
6.4　Inspection and acceptance of laser welder …………………（16）
6.5　Installation of narrow lap welder ……………………………（16）
6.6　Inspection and acceptance of narrow lap welder …………（16）
6.7　Test running of strip steel connection equipment …………（17）

7　Strip steel surface preparation equipment ……………（18）
7.1　Installation of shot blaster ……………………………………（18）
7.2　Inspection and acceptance of shot blaster …………………（18）
7.3　Installation of roller ……………………………………………（18）
7.4　Inspection and acceptance of roller …………………………（18）
7.5　Installation of strip steel dryer ………………………………（19）
7.6　Inspection and acceptance of strip steel dryer ……………（19）
7.7　Installation of oiler ……………………………………………（20）
7.8　Inspection and acceptance of oiler …………………………（20）
7.9　Installation of coater …………………………………………（20）
7.10　Inspection and acceptance of coater ………………………（21）
7.11　Test running of strip steel surface preparation
equipment ………………………………………………………（22）

8　Horizontal continuous annealing furnace ………………（23）
8.1　Erection of furnace steel platform ……………………………（23）
8.2　Inspection and acceptance of furnace steel platform ………（23）
8.3　Erection of furnace chamber …………………………………（24）
8.4　Inspection and acceptance of furnace chamber ……………（25）
8.5　Installation of furnace equipment ……………………………（26）
8.6　Inspection and acceptance of furnace chamber ……………（27）
8.7　Furnace air tightness test ……………………………………（27）
8.8　Test running of horizontal continuous annealing furnace ………（28）

9　Baking furnace …………………………………………………（29）
9.1　Erection of steel platform ……………………………………（29）

9.2 Inspection and acceptance of baking furnace steel platform (29)
9.3 Erection of furnace chamber (30)
9.4 Inspection and acceptance of furnace chamber (31)
9.5 Installation of furnace equipment (31)
9.6 Inspection and acceptance of furnace equipment (31)
9.7 Test running of baking furnaces (32)
10 Ring annealing furnace (33)
10.1 Installation of backup rollers and guide rollers (33)
10.2 Inspection and acceptance of backup rollers and guide rollers (33)
10.3 Installation of furnace steel structure (34)
10.4 Inspection and acceptance of furnace steel structure (34)
10.5 Installation of lower trolley (35)
10.6 Inspection and acceptance of lower trolley (35)
10.7 Erection of rotating steel platform (36)
10.8 Inspection and acceptance of rotating steel platform (36)
10.9 Erection of furnace shell (37)
10.10 Inspection and acceptance of furnace shell (37)
10.11 Erection of upper trolley (37)
10.12 Installation of furnace door (38)
10.13 Inspection and acceptance of furnace door (38)
10.14 Test running of ring annealing furnace (38)
11 Safety and environmental protection (40)
11.1 Safety (40)
11.2 Environmental protection (41)
Appendix A Classification table of subproject and sub-divisional work for grain-oriented silicon steel production line engineering equipment installation (42)

Appendix B　Quality acceptance record for sub-divisional
　　　　　　work of grain-oriented silicon steel production
　　　　　　line engineering equipment installation ······ (44)
Appendix C　Quality acceptance record for subproject of
　　　　　　grain-oriented silicon steel production line
　　　　　　engineering equipment installation ············ (45)
Appendix D　Quality acceptance record for unit work of
　　　　　　grain-oriented silicon steel production line
　　　　　　engineering equipment installation ············ (46)
Appendix E　Non-load running record for grain-oriented
　　　　　　silicon steel production line engineering
　　　　　　equipment ·· (49)
Explanation of wording in this code ························ (50)
List of quoted standards ·· (51)
Addition：Explanation of provisions ························ (53)

1 总 则

1.0.1 为提高硅钢生产线设备安装水平,加强施工过程质量控制,保证施工质量,实现安全环保,技术先进,制定本规范。

1.0.2 本规范适用于取向硅钢生产线设备安装及质量验收。

1.0.3 取向硅钢生产线设备安装与验收除应符合本规范外,尚应符合国家现行有关标准的规定。

2 基本规定

2.0.1 施工应有相应的施工技术标准、质量管理体系、质量控制及检验制度、施工组织设计、施工方案作业文件。

2.0.2 采用的工程技术文件、承包合同中对安装质量的要求不得低于本规范的规定。

2.0.3 施工图纸变更应有设计单位签署的文件。

2.0.4 质量检查和验收使用的计量器具,必须校准合格,并应在有效期内使用。

2.0.5 设备安装前,设备基础应验收合格,相关厂房应具备设备安装条件,现场应具备水源、电源、作业平面和作业空间,运输道路应畅通。

2.0.6 设备安装应设置中心基准线和基准点,埋设永久性中心标板和标高基准点,并应定期复测永久性中心标板和标高基准点。

2.0.7 设备安装应按规定的程序进行,每道工序完成后,应进行检查验收,并应形成记录。未经检验的不得进行下道工序施工。

2.0.8 设备二次灌浆及隐蔽工程,在隐蔽前应进行验收,并应形成文件。

2.0.9 设备的安全保护设施应齐全、可靠,限位开关动作应准确无误。

2.0.10 设备试运转前,设备安装应验收合格。

2.0.11 设备安装质量验收应在施工单位自检基础上,按分项工程、分部工程、单位工程进行。分部及分项工程划分宜执行本规范附录A的规定。

2.0.12 分项工程质量验收合格应符合下列规定:

    1 主控项目检验应符合本规范质量标准要求。

2 一般项目检验结果:机械设备全部检查点(值)应符合本规范质量标准要求;工艺钢结构应有80%及以上的检查点(值)符合本规范质量标准要求,且最大值不应超过其允许偏差值的1.2倍。

3 质量验收记录及质量合格证明文件应完整。

2.0.13 分部工程质量验收合格应符合下列规定:

1 分部工程所含分项工程质量均应验收合格;
2 质量控制资料应完整;
3 设备单体无负荷试运转应合格。

2.0.14 单位工程质量验收合格应符合下列规定:

1 单位工程所含分部工程质量均应验收合格;
2 质量控制资料应完整;
3 设备无负荷联动试运转应合格;
4 观感质量验收应合格。

2.0.15 单位工程观感质量检查项目应符合下列规定:

1 连接螺栓:螺栓、螺母和垫圈配置应齐全,紧固后螺栓应露出螺母2扣~3扣,外露螺纹应无损伤,螺栓拧入方向除构造原因外应一致;
2 密封状况:应无漏油、漏气和漏水;
3 管道敷设:应布置合理,排列整齐,固定牢固;
4 隔声和隔热材料敷设:应层厚均匀,绑扎牢固,表面平整;
5 油漆涂刷:应涂层均匀,无漏涂,无脱皮,无皱皮和气泡,色泽一致;
6 走台、梯子、栏杆:应固定牢固,无外观缺陷;
7 焊缝:应焊波均匀,焊渣和飞溅物应清理干净;
8 切口:切口处应无熔渣;
9 成品保护:设备应无缺损,裸露加工面应保护良好;
10 文明施工:施工现场应管理有序,设备周围应无杂物。

以上各项随机抽查不应少于10处。

2.0.16 当检验项目的质量不符合相应专业质量验收规范的规定

时，应按下列规定进行处理：

  1 返工后的检验项，应重新进行质量验收；

  2 经检测单位检测鉴定能够达到设计要求的检验项目，应判定为验收通过。

2.0.17 工程质量不符合要求，且经处理或返工后仍不能满足质量和安全使用要求的工程严禁签署验收合格。

2.0.18 质量验收程序应符合下列规定：

  1 分项工程应由监理工程师或建设单位项目技术负责人组织施工单位项目专业技术负责人、质量检查员等进行验收；

  2 分部工程应由总监理工程师或建设单位项目负责人组织施工单位项目负责人和技术、质量负责人等进行验收；

  3 单位工程完工后，施工单位应组织检查评定，并应向建设单位提交工程验收报告；

  4 应由建设单位项目负责人组织施工、设计、监理等单位项目负责人进行单位工程验收；

  5 总包单位应对工程质量全面负责，参与分包单位对所分包的工程项目的检查评定，并应按本规范规定的程序进行验收。分包单位在完成分包工程后，应将工程有关资料交总包单位。

2.0.19 设备安装质量验收记录应符合下列规定：

  1 分项工程质量验收记录应按本规范附录B的要求填写；

  2 分部工程质量验收记录应按本规范附录C的要求填写；

  3 单位工程质量验收记录应按本规范附录D的要求填写；

  4 设备无负荷试运转记录应按本规范附录E的要求填写。

3 设备基础、地脚螺栓和垫板

3.1 设备基础施工

3.1.1 设备基础质量应符合现行国家标准《混凝土结构工程施工质量验收规范》GB 50204 的有关规定。

3.1.2 设备安装前应进行基础检查验收,未经验收合格的基础,不得进行设备安装。

3.1.3 基础混凝土强度等级应符合设计要求。

3.1.4 基础外形尺寸、地脚螺栓中心线和标高、地脚螺栓预留孔及T形螺栓预埋件的中心线、标高及几何尺寸,应符合设计文件和现行国家标准《机械设备安装工程施工及验收通用规范》GB 50231 的有关规定。

3.1.5 基础表面的模板、地脚螺栓固定架、外露钢筋等应全部拆除,基础表面和地脚螺栓孔内的浮浆、油污、碎石、泥土和积水等杂物,应清除干净。

3.1.6 基础验收的资料应完整。

3.1.7 设备安装前,应根据设备工艺布置图和测量控制网绘制基准线和基准点布置图,确定中心标板和基准点的位置。连续生产线主轴中心线和主体设备应埋设永久性中心标板和基准点。

3.1.8 需要做沉降观测的设备基础,应交接沉降观测记录和沉降观测点,在设备安装过程中应继续进行沉降观测并形成记录。

3.2 设备基础验收

Ⅰ 主控项目

3.2.1 设备基础强度应符合设计要求。

检查数量:全数检查;

检验方法:检查基础交接资料。

3.2.2 机组设备基础中心线和标高基准点应符合设计要求。

检查数量:全数检查;

检验方法:检查测量成果表,观察检查。

Ⅱ 一 般 项 目

3.2.3 设备基础轴线位置、标高、尺寸和地脚螺栓位置应符合设计要求或现行国家标准《机械设备安装工程施工及验收通用规范》GB 50231的有关规定。设备基础预埋垫板的位置、标高、尺寸应符合设计要求。

检查数量:全数检查;

检验方法:检查复查记录。

3.2.4 设备基础表面和地脚螺栓预留孔中的油污、碎石、泥土和积水等均应清除干净。预埋地脚螺栓的螺纹和螺母应涂油保护完好。

检查数量:全数检查;

检验方法:观察检查。

3.3 地脚螺栓安装

3.3.1 地脚螺栓应具有质量合格证明文件。

3.3.2 地脚螺栓螺纹部分应涂油,并应进行保护。

3.3.3 预留孔地脚螺栓安装应符合下列规定:

　1 预留孔应清理干净,并检查预留孔尺寸和深度;

　2 地脚螺栓的油污和氧化皮应清除,螺纹部分应涂适量油脂;

　3 检查地脚螺栓直径、长度、螺纹长度等应符合设计要求;

　4 地脚螺栓安装应垂直,四周距孔壁尺寸应大于15mm,且不碰孔底,设备初步找平找正后,地脚螺栓与设备螺栓孔周围应有间隙;

　5 设备一次、二次灌浆时应对设备表面、成品地面或墙面保护,防止污染;

　6 预留孔混凝土强度达到设计要求后,设备方可进行精密调整和紧固地脚螺栓。

3.3.4 锚固板地脚螺栓安装应符合下列规定：

1 T形地脚螺栓的直径、长度、标记、锤头尺寸、锤头与螺杆的连接形式及防腐应符合设计要求；

2 设备二次灌浆前，应按设计要求在螺栓套筒内填塞充填物封闭套筒口；

3 根据紧固力要求和现场工作环境，选择合适的方法和工具紧固地脚螺栓，紧固力应符合设计要求。

3.4 地脚螺栓验收

Ⅰ 主 控 项 目

3.4.1 地脚螺栓的规格应符合设计要求。

检查数量：抽查20%，且不少于4个；

检验方法：检查质量合格证明文件、尺量。

Ⅱ 一 般 项 目

3.4.2 地脚螺栓应无油污和氧化皮，螺纹部分应涂油脂。

检查数量：全数检查；

检验方法：观察检查。

3.4.3 预留孔地脚螺栓应垂直，螺栓与预留孔壁的间距不得小于15mm，且不碰孔底。

检查数量：全数检查；

检验方法：观察检查。

3.5 垫 板 安 装

3.5.1 垫板尺寸和设置应符合设计文件规定。设计无规定时，应符合现行国家标准《机械设备安装工程施工及验收通用规范》GB 50231的有关规定。

3.5.2 施工前应根据设备布置图、设备基础螺栓布置图及设备底座外形尺寸绘制座浆垫板布置图。

3.5.3 每个地脚螺栓的旁边应至少设置一组垫板。垫板组应靠近地脚螺栓和设备主要受力部位。

3.5.4 垫板尺寸和数量应根据设备负荷、基础螺栓紧固力和混凝土抗压强度等确定。

3.5.5 座浆法安装垫板应符合下列规定：

1 大型平垫板加工时,中间应设计排气孔；

2 设备安装前座浆混凝土的强度应达到基础混凝土的设计强度；

3 座浆施工时原材料应计量,同时应制作强度试验试块。

3.6 垫板验收

Ⅰ 主控项目

3.6.1 座浆法设置垫板时,座浆混凝土的48h强度应达到基础混凝土的设计强度。

检查数量：逐批检查；

检验方法：检查座浆试块强度试验报告。

Ⅱ 一般项目

3.6.2 设备垫板设置应符合现行国家标准《机械设备安装工程施工及验收通用规范》GB 50231的规定,还应满足设计要求。

检查数量：抽查20%；

检验方法：观察检查、尺量、塞尺检查和用锤轻击垫板。

3.6.3 座浆垫板允许偏差应符合表3.6.3的规定。

表3.6.3 座浆垫板允许偏差

项次	项目	允许偏差(mm)	检验方法
1	座浆垫板标高	0～－1	用水准仪检查
2	座浆垫板水平度	0.3/1000	用水平仪检查

检查数量：全数检查；

检验方法：应符合表3.6.3的相关规定。

4 设备及材料进场

4.1 一般规定

4.1.1 施工单位应编制设备及材料进场计划。

4.1.2 设备安装前,应进行开箱检查。设备开箱后应妥善保护。

4.1.3 设备开箱检验应符合下列规定:

　　1 设备开箱检验应形成检验记录,办理设备交接手续;

　　2 设备开箱检验应按装箱单清点设备数量,按设计文件核对设备型号、规格,设备应有质量合格证明文件;

　　3 检查设备表面质量应无缺损、无变形、无锈蚀,对于有缺陷的应及时记录;

　　4 设备随机资料应妥善保存或移交业主方,办理移交手续。

4.1.4 设备搬运和吊装时,吊装点应在设备或包装箱标识位置,应有保护措施。

4.1.5 材料进场后应及时建账入库,放置整齐,并应有标识和防损伤措施。

4.1.6 设备及材料应设专人管理,使用前应做好报验工作。

4.2 设备及材料验收

4.2.1 设备型号、规格和数量应符合设计要求,并应具有设备质量合格证明文件。

　　检查数量:全数检查;

　　检验方法:检查设备质量合格证明文件,观察检查。

4.2.2 材料进场应进行检验,型号、规格和数量应符合设计要求并形成检验记录。

　　检查数量:质量合格证明文件全数检查,实物抽查1‰,且不少于5件；设计文件或有复验要求的，应按规定进行复验。

检验方法：检查质量合格证明文件、复验报告及验收记录，外观检查或实测。

5 剪切设备

5.1 月牙剪安装

5.1.1 标高的调整应以下刀台面为基准。
5.1.2 纵、横向中心线的调整应以机架中心线为基准。
5.1.3 水平度的调整应以移动导轨面为基准。
5.1.4 垂直度的调整应以固定剪机架面为基准。

5.2 月牙剪验收

5.2.1 传动装置安装和联轴器装配应符合现行国家标准《机械设备安装工程施工及验收通用规范》GB 50231 的有关规定。

检查数量：全数检查；

检验方法：检查安装质量记录，用百分表和塞尺检查。

5.2.2 月牙剪安装允许偏差应符合表 5.2.2 的规定。

表 5.2.2 月牙剪安装允许偏差

项次	项目	允许偏差(mm)	检验方法
1	标高	±1.0	用水准仪检查
2	纵、横向中心线	1.0	拉钢丝线、吊线锤，用钢直尺检查
3	水平度	0.05/1000	用水平仪及平尺检查
4	机架的垂直度	0.10/1000	用水平仪检查

检查数量：全数检查；

检验方法：应符合表 5.2.2 的相关规定。

5.3 圆盘剪安装

5.3.1 标高、水平度的调整应以滑动导轨面为基准。

5.3.2 纵、横向中心线的调整应以滑动导轨为基准,导轨中心线与机组中心线应垂直。

5.3.3 圆盘剪中心线与机组中心线的垂直度的调整应以剪刃轴为基准。

5.3.4 圆盘剪剪刃的端面跳动允许值应符合设计图纸的规定。

5.4 圆盘剪验收

5.4.1 传动装置安装和联轴器装配应符合现行国家标准《机械设备安装工程施工及验收通用规范》GB 50231 的有关规定。

检查数量:全数检查;

检验方法:检查安装质量记录,用百分表和塞尺检查。

5.4.2 圆盘剪安装精度应符合表 5.4.2 的规定。

表 5.4.2 圆盘剪安装允许偏差

项次	项 目	允许偏差(mm)	检验方法
1	标高	±1.0	用水准仪检查
2	纵、横向中心线	1.0	拉钢丝线、用钢直尺检查
3	水平度	0.10/1000	用水平仪及平尺检查
4	剪刃轴中心线与机组中心线的垂直度	0.10/1000	拉钢丝线、用内径千分尺摆杆法检查

检查数量:全数检查;

检验方法:应符合表 5.4.2 的相关规定。

5.5 横切剪安装

5.5.1 机架纵、横向中心线的调整应以机组中心线为基准。

5.5.2 机架标高的调整应以刀刃基面为基准。

5.5.3 底座水平度的调整应以加工面为基准。

5.5.4 水平度的调整应以上刀刃基面为基准。

5.5.5 横切剪安装完毕,应检查上下剪刃装配间隙,其结果应符合设备技术文件要求。

5.6 横切剪验收

5.6.1 传动装置安装和联轴器装配应符合现行国家标准《机械设备安装工程施工及验收通用规范》GB 50231 的有关规定。

检查数量：全数检查；

检验方法：检查安装质量记录，用百分表和塞尺检查。

5.6.2 横切剪安装允许偏差应符合表 5.6.2 的规定。

表 5.6.2 横切剪安装允许偏差

项次	项 目	允许偏差(mm)	检 验 方 法
1	底座标高	±0.5	用水准仪检查
2	纵、横向中心线	1.0	拉钢丝线、吊线锤，用钢直尺检查
3	底座水平度	0.10/1000	用水平仪检查
4	上刀刃标高	±0.5	用水准仪检查
5	上刀刃水平度	0.10/1000	用水平仪检查

检查数量：全数检查；

检验方法：应符合表 5.6.2 的相关规定。

5.7 剪切设备试运转

5.7.1 试运转应符合下列要求：

1 施工单位编制的试运转方案应经总监理工程师或建设单位项目负责人审批。

2 设备及附属装置、管路等均应安装完毕，质量记录及资料齐全。

3 液压、润滑、气动、电气等系统调试应检验完毕，并应符合试运转要求。

4 试运转所需要的材料、工机具、检测仪器应满足试运转要求。

5 试运转的设备、进出口管道及周围环境应清理干净，周围不得有粉尘、噪声、振动作业。

  6 单体设备试运转时间或次数，无特殊要求时，应符合下列规定：

    1）连续运转设备不间断运转时间不应少于 2h；

    2）往复运转的设备在全程或回转范围内往复动作不应少于 5 次；

  7 设备试运转轴承温度无特殊要求时应符合下列规定：

    1）滚动轴承正常运转时，轴承温升不得超过 40℃，且最高温度不得超过 80℃；

    2）滑动轴承正常运转时，轴承温升不得超过 35℃，且最高温度不得超过 70℃。

5.7.2 设备限位开关动作应准确无误，离合器及制动装置应灵敏可靠。

5.7.3 设备液压缸、气动缸应往返运行 5 次～10 次，行程、速度应符合设计图纸的规定。

5.7.4 剪切机应连续试运转 2h～4h。

5.7.5 在运转过程中，各传动部件应转动灵活、平稳，无异常振动和声响。

5.7.6 紧固件、联接件不得松动。

6 带钢连接设备

6.1 缝合机安装

6.1.1 标高的调整应以带钢缝合台面为基准。

6.1.2 进出口压紧装置标高调整应以固定辊为基准。

6.1.3 水平度的调整应以带钢导板台面为基准。

6.2 缝合机验收

6.2.1 传动装置安装和联轴器装配应符合现行国家标准《机械设备安装工程施工及验收通用规范》GB 50231 的有关规定。

检查数量：全数检查；

检验方法：检查安装质量记录，用百分表和塞尺检查。

6.2.2 缝合机安装允许偏差应符合表 6.2.2 的规定。

表 6.2.2 缝合机安装允许偏差

项次	项 目	允许偏差(mm)	检验方法
1	标高	±0.5	用水准仪检查
2	纵、横向中心线	1.0	拉钢丝线、用钢直尺检查
3	水平度	0.10/1000	用水平仪检查

检查数量：全数检查；

检验方法：应符合表 6.2.2 的相关规定。

6.3 激光焊机安装

6.3.1 激光焊机的安装应符合设备技术文件的要求。

6.3.2 激光焊机宜采用专用工具进行吊装，吊装时应对设备上的管道和电气等进行保护。

6.3.3 标高、水平度调整应以轨道上表面为基准。

6.3.4 纵向中心线的调整应以底座中心线为基准。
6.3.5 横向中心线的调整应以移动架中心线为基准。

6.4 激光焊机验收

6.4.1 传动装置安装和联轴器装配应符合现行国家标准《机械设备安装工程施工及验收通用规范》GB 50231 的有关规定。
　　检查数量：全数检查；
　　检验方法：检查安装质量记录，用百分表和塞尺检查。
6.4.2 激光焊机安装允许偏差应符合表 6.4.2 的规定。

表 6.4.2　激光焊机安装允许偏差

项次	项　目	允许偏差(mm)	检　验　方　法
1	标高	±0.5	用水准仪检查
2	纵、横向中心线	1.0	拉钢丝线、用钢直尺检查
3	水平度	0.10/1000	用水平仪检查

　　检查数量：全数检查；
　　检验方法：应符合表 6.4.2 的相关规定。

6.5 窄搭接焊机安装

6.5.1 窄搭接焊机宜采用专用工具进行吊装，吊装时应对设备上的管道和电气等进行保护。
6.5.2 标高、水平度调整应以轨道上表面为基准。
6.5.3 导板台的标高应比带钢通过线低 15mm～20mm。
6.5.4 纵向中心线的调整应以底座中心线为基准。
6.5.5 横向中心线的调整应以移动架中心线为基准。

6.6 窄搭接焊机验收

6.6.1 传动装置安装和联轴器装配应符合现行国家标准《机械设备安装工程施工及验收通用规范》GB 50231 的有关规定。

检查数量：全数检查；

检查方法：检查安装质量记录，用百分表和塞尺检查。

6.6.2 窄搭接焊机安装允许偏差应符合表6.6.2的规定。

表6.6.2 窄搭接焊机安装允许偏差

项次	项 目	允许偏差(mm)	检 验 方 法
1	标高	0～+2.0	用水准仪或平尺、内径千分尺检查
2	纵、横向中心线	1.0	拉钢丝线、吊线锤、用钢直尺检查
4	水平度	0.10/1000	用水平仪检查

检查数量：全数检查；

检查方法：应符合表6.6.2的相关规定。

6.7 带钢连接设备试运转

6.7.1 试运转应符合本规范5.7.1的相关规定。

6.7.2 缝合机的导板台、可动机架、进出口压紧装置等部件应逐项调试，在全行程内往返5次～10次。液压缸的行程、速度应符合设计图纸的规定。各部位动作应平稳、无卡阻和异常声响现象。

6.7.3 窄搭接焊机的进出口夹紧装置、进口对中装置、带钢头部剪切装置、焊缝压平装置、冲孔装置等部件，应逐项调试，在全行程内往返5次～10次。

6.7.4 限位开关动作应准确、灵敏可靠。

7 带钢表面处理设备

7.1 抛丸机安装

7.1.1 标高、水平度的调整应以托辊辊面为基准。

7.1.2 纵、横向中心线的调整应以箱体中心线为基准。

7.2 抛丸机验收

7.2.1 传动装置安装和联轴器装配应符合现行国家标准《机械设备安装工程施工及验收通用规范》GB 50231 的有关规定。

检查数量：全数检查；

检验方法：检查安装质量记录，用百分表和塞尺检查。

7.2.2 抛丸机安装允许偏差应符合表 7.2.2 的规定。

表 7.2.2 抛丸机安装允许偏差

项次	项 目	允许偏差(mm)	检 验 方 法
1	标高	±1.0	用水准仪或平尺、内径千分尺检查
2	纵、横向中心线	1.0	拉钢丝线、吊线锤、用钢直尺检查
3	垂直度	1.0/1000	拉钢丝线、吊线锤检查

检查数量：全数检查；

检验方法：符合表 7.2.2 的相关规定。

7.3 碾压辊安装

7.3.1 标高、水平度的调整应以辊面为基准。

7.3.2 纵、横中心线的调整应以辊子中心线为基准。

7.4 碾压辊验收

7.4.1 传动装置安装和联轴器装配应符合现行国家标准《机械设

备安装工程施工及验收通用规范》GB 50231 的有关规定。

　　检查数量:全数检查;

　　检验方法:检查安装质量记录,用百分表和塞尺检查。

7.4.2 碾压辊安装允许偏差应符合表 7.4.2 的规定。

表 7.4.2　碾压辊安装允许偏差

项次	项　目	允许偏差(mm)	检验方法
1	标高	±1.0	用水准仪或平尺、内径千分尺检查
2	纵、横中心线	1.0	拉钢丝线、吊线锤,用钢直尺检查
3	水平度	0.10/1000	用水平仪检查

　　检查数量:全数检查;

　　检验方法:符合表 7.4.2 的相关规定。

7.5　带钢干燥器安装

7.5.1 标高、水平度的调整应以托辊辊面为基准。

7.5.2 纵、横向中心线的调整应以箱体中心线为基准。

7.6　带钢干燥器验收

7.6.1 传动装置安装和联轴器装配应符合现行国家标准《机械设备安装工程施工及验收通用规范》GB 50231 的有关规定。

　　检查数量:全数检查;

　　检验方法:检查安装质量记录,用百分表和塞尺检查。

7.6.2 带钢干燥器安装允许偏差应符合表 7.6.2 的规定。

表 7.6.2　带钢干燥器安装允许偏差

项次	项　目	允许偏差(mm)	检验方法
1	标高	±1.0	用水准仪或平尺、内径千分尺检查
2	纵、横向中心线	1.0	拉钢丝线、吊线锤,用钢直尺检查
3	水平度	0.10/1000	用水平仪检查

检查数量：全数检查；
检验方法：符合表7.6.2的相关规定。

7.7 涂油机安装

7.7.1 标高、水平度的调整应以下涂辊辊面为基准。

7.7.2 纵、横向中心线的调整应以C形机架中心线为基准。

7.8 涂油机验收

7.8.1 传动装置安装和联轴器装配应符合现行国家标准《机械设备安装工程施工及验收通用规范》GB 50231的有关规定。

检查数量：全数检查；
检验方法：检查安装质量记录，用百分表和塞尺检查。

7.8.2 涂油机安装允许偏差应符合表7.8.2的规定。

表7.8.2 涂油机安装允许偏差

项次	项目	允许偏差(mm)	检验方法
1	标高	±1.0	用水准仪或平尺、内径千分尺检查
2	纵、横向中心线	1.0	拉钢丝线、吊线锤，用钢直尺检查
3	水平度	0.10/1000	用水平仪检查

检查数量：全数检查；
检验方法：符合表7.8.2的相关规定。

7.9 涂层机安装

7.9.1 涂层机安装应符合下列规定：

1 设备安装后应及时施工涂层机小房；

2 机架安装标高的调整以下部涂辊轨道面为基准，调整标高时，工作位置的精度应高于换辊位置的精度；

3 上部涂辊轨道面标高在机架安装完成后应进行复测，当有偏差时应进行调整；

4 涂层机涂辊中心线与机组中心线的垂直度宜用摆杆法进行检测调整；

5 涂层机涂辊水平度应在工作位置处测量，调整应以辊面为基准；

6 移动式涂层机机架轨道标高的调整应以轨道上表面为基准；

7 移动式涂层机机架轨道中心的调整应以机组中心线为基准；

8 移动式涂层机机架轨道水平度的调整应以轨道顶面为基准；

9 移动式涂层机机架轨道轨距的调整应以轨道顶面中心线为基准。

7.10 涂层机验收

7.10.1 传动装置安装和联轴器装配应符合现行国家标准《机械设备安装工程施工及验收通用规范》GB 50231 的有关规定。

检查数量：全数检查；

检验方法：检查安装质量记录，用百分表和塞尺检查。

7.10.2 涂层机的各项安装要求应符合设计图纸的要求，安装允许表偏差应符合表 7.10.2 的规定。

表 7.10.2 涂层机允许偏差表

项次	项 目	允许偏差(mm)	检验方法
1	机架纵向中心线	0.5	拉钢丝线、吊线锤，用钢直尺检查
2	机架横向中心线	1.0	拉钢丝线、吊线锤，用钢直尺检查
3	涂层辊轨道水平度	0.05/1000	用水平仪检查
4	涂层辊中心线	0.5	拉钢丝线、吊线锤，用钢直尺检查
5	涂层辊垂直度	0.10/1000	内径千分尺摆杆法检查
6	涂层辊水平度	0.05/1000	用水平仪检查

续表 7.10.2

项次	项 目	允许偏差(mm)	检 验 方 法
7	移动式涂层机机架轨道顶面标高	±0.5	用水准仪检查
8	移动式涂层机机架轨道中心线	1.0	拉钢丝线、吊线锤,用钢直尺检查
9	移动式涂层机机架轨道顶面水平度	0.20/1000	用水平仪检查
10	移动式涂层机机架轨道轨距	±0.5	用钢卷尺检查
11	上下轨道工作位标高	±0.25	用水准仪检查
12	上下轨道换辊位标高	±0.5	用水准仪检查

检查数量:全数检查;

检验方法:符合表 7.10.2 的相关规定。

7.11 带钢表面处理设备试运转

7.11.1 试运转应符合本规范 5.7.1 的相关规定。

7.11.2 安全防护设施应齐全、可靠。

7.11.3 液压缸、气动缸等部件应逐项调试,在全行程内往返 5 次～10 次。液压缸、气动缸的行程、速度应符合设计图纸的规定。各部位动作应平稳、无卡阻和异常声响现象。

7.11.4 限位开关动作应准确、灵敏可靠。

8 卧式连续退火炉

8.1 炉体钢平台安装

8.1.1 钢柱预留孔地脚螺栓宜采用临时固定架安装调整,并应进行一次灌浆。

8.1.2 炉体钢平台宜组装成门型框架后吊装就位,门型框架组装应控制柱脚板间距及框架对角线偏差。

8.1.3 钢柱的标高测量点应从钢柱顶部返线至钢柱下部统一尺寸位置,钢平台的校正应控制钢柱及平台梁标高偏差。

8.1.4 各立柱的纵向中心线的调整应以机组中心线为基准,各立柱的横向中心线的调整应以炉子横向中心线为基准。

8.1.5 各立柱垂直度宜采用经纬仪进行测量。

8.1.6 相邻立柱对角线应采用钢卷尺测量。

8.1.7 钢平台的柱间支撑应及时安装,并应形成稳定结构单元框架。

8.1.8 钢平台应先调整包括柱间支撑的稳定结构单元框架,后依次进行其余框架的调整。

8.1.9 柱梁连接面的接触面不应少于70%。

8.2 炉体钢平台验收

8.2.1 高强度螺栓安装应符合现行行业标准《钢结构高强度螺栓连接技术规程》JGJ 82 的有关规定。

检查数量:按节点数抽查10%,但不少于10处;

检验方法:检查安装质量记录,用扳手拧试,观察检查。

8.2.2 炉体钢平台的焊接应符合现行国家标准《现场设备、工业管道焊接工程施工质量验收规范》GB 50683 的有关规定。

检查数量：按构件数抽查10%，但不少于10件；

检验方法：观察检查。

8.2.3 退火炉炉体钢结构安装允许偏差应符合表8.2.3的规定。

表8.2.3 连续退火炉炉体钢结构安装允许偏差

项次	项 目	允许偏差(mm)	检验方法
1	柱子标高	±5.0	用水准仪检查
2	柱子纵、横向中心线	3.0	拉钢丝线、用钢直尺检查
3	柱子垂直度	0.80/1000，且≤10.0	用经纬仪或线锤检查
4	相邻立柱对角线	10	用钢直尺检查

检查数量：抽查10%，不得少于10件；

检验方法：应符合表8.2.3的相关规定。

8.3 炉室安装

8.3.1 炉室安装就位前应进行质量检查，检查炉壳出厂检验记录，并应进行尺寸抽查。

8.3.2 炉室运输时内部应焊接专用支撑防止变形，炉室吊装时应采用专用吊装工具和制造厂设置的专用吊点进行吊装。

8.3.3 炉室安装前应对炉室连接法兰的平面度进行检查。

8.3.4 炉室安装前应根据机组中心线在炉体钢平台上设置辅助中心线。

8.3.5 炉室纵、横中心线的调整应以炉室出厂的中心标记为基准。

8.3.6 炉室安装校正后应对炉壳法兰进行满焊，现场焊缝应按设计要求进行检查。

8.3.7 炉室安装完成后，检查炉辊法兰面纵横向垂直度、中心标高，检查结果应符合设计文件要求。

8.3.8 炉辊两端法兰的同心度宜采用专用工具进行检查，检查结果应符合设计要求。

8.3.9 炉室固定底座应在烘炉前按设计要求进行安装定位焊接或螺栓固定(图8.3.9)。

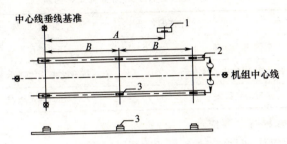

图8.3.9 炉室固定底座安装
1—滑动挡块;2—轨道;3—固定底座调整垫板;
A—滑动挡块与横向中心线距离;B—固定底座调整垫板间距;
C—固定底座与机组中心线距离

8.3.10 烘炉前炉室滑动挡块与滑动底座之间的间隙应按设计要求进行调整,调整后滑动挡块应定位焊接(图8.3.10)。

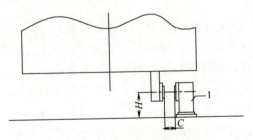

图8.3.10 炉室滑动挡块安装
1—滑动挡块;C—滑动挡块与滑动底座之间的间隙;
H—滑动挡块与滑动底座水平中心标高

8.4 炉室验收

8.4.1 炉室的焊接应符合现行国家标准《现场设备、工业管道焊接工程施工质量验收规范》GB 50683的有关规定。

检查数量:按构件数抽查10%,但不少于10件;

检验方法:观察检查。

8.4.2 炉室的安装允许偏差应符合表 8.4.2 的规定。

表 8.4.2 连续退火炉炉壳安装允许偏差

项次	项 目	允许偏差(mm)	检 验 方 法
1	炉辊法兰标高	±3.0	用水准仪检查
2	炉室纵、横向中心线	3.0	拉钢丝线,用钢直尺检查
3	炉室对角线差	5.0	用钢卷尺检查

检查数量:全数检查;

检验方法:应符合表 8.4.2 的相关规定。

8.5 炉内设备安装

8.5.1 炉内设备应在炉室安装验收合格后进行安装。

8.5.2 连续退火炉炉辊轴承的装配应符合设计文件的规定。

8.5.3 水冷炉辊轴承座在安装前应进行充水,检查是否泄漏。

8.5.4 炉辊的吊装应对辊面采取保护措施。

8.5.5 炉辊的横向中心调整应以机组中心线为基准。

8.5.6 炉辊的标高调整应以炉辊法兰为基准。

8.5.7 炉辊的轴向中心线应与炉辊法兰孔中心线相一致。

8.5.8 炉辊的水平度的调整应以炉辊面为基准。

8.5.9 炉辊与机组中心线的垂直度应用摆杆法测量。

8.5.10 炉辊电机及底座的安装和校正应以炉辊为基准。

8.5.11 炉辊轴承座定位销应在炉辊安装验收合格后现场钻孔安装。

8.5.12 安装辐射管时宜使用专用工具吊装就位。

8.5.13 烧嘴安装前应对表面进行检查,检查应符合下列要求:

  1 发现有裂纹、损害等缺陷的不得安装;

  2 烧嘴的紧固螺栓拧紧力矩应符合设计规定。

8.6 炉内设备验收

8.6.1 传动装置安装和联轴器装配应符合现行国家标准《机械设备安装工程施工及验收通用规范》GB 50231 的有关规定。

检查数量：全数检查；

检验方法：检查安装质量记录，用百分表和塞尺检查。

8.6.2 炉辊设备安装允许偏差应符合表 8.6.2 的规定。

表 8.6.2 炉辊设备安装允许偏差

项次	项目	允许偏差(mm)	检验方法
1	标高	±3.0	用水准仪检查
2	纵、横向中心线	1.0	拉钢丝线、用钢直尺检查
3	辊面水平度	0.10/1000	用摆杆检查
4	辊子与机组纵向中心线的垂直度	0.10/1000	挂钢丝线，用摆杆、内径千分尺检查

检查数量：全数检查；

检验方法：应符合表 8.6.2 的相关规定。

8.7 炉体气密性试验

8.7.1 炉体应按设计文件进行整体气密性试验。

8.7.2 炉体气密性试验应具备下列条件：

1 炉体配管应按设计文件要求施工完毕，并应验收合格；

2 炉内耐材应按设计要求施工完毕，并应验收合格；

3 炉辊、加热元件、辐射管、各种工艺孔盖等应按设计要求安装完毕，并应验收合格；

4 炉体的入出口密封装置处应设置堵板，封堵人孔等其他孔盖；

5 应在炉体上设置供气管和测压装置，做好试验前的供气准备和检测准备；

6 测压装置应在炉子入口、出口和中部各设置一套；

  7 应在炉体入出口段各设置一处泄压点；

  8 供气点应设置在炉体中间段。

8.7.3 炉体气密性试验应符合下列规定：

  1 试验压力和保压时间应符合设计要求；

  2 应采用发泡剂检查炉子所有焊缝、螺栓接口及其他密封部位,当有泄漏时,应在泄压后进行修补；

  3 修补完毕后应重新进行气密性试验直至合格。

8.8 卧式连续退火炉试运转

8.8.1 试运转应符合本规范5.7.1的相关规定。

8.8.2 连续退火炉炉体在耐材施工、设备安装结束后,应按设计文件规定进行气密性试验。

8.8.3 带钢连续退火炉试运转应符合下列规定：

  1 电机驱动的炉辊单体无负荷试运转应连续运行2h；

  2 炉辊在运转中动作应平稳、转动灵活、无异常振动和声响；

  3 水冷炉辊应无泄漏现象。

8.8.4 风机运转应无卡阻和碰擦现象,叶轮旋转方向应正确,无异常振动和声响,运转时间不得少于2h。

8.8.5 紧固件、连接件不得松动,介质管道无泄漏现象。

9 烘 烤 炉

9.1 炉体钢平台安装

9.1.1 钢柱预留孔地脚螺栓宜采用临时固定架安装调整,并应进行一次灌浆。

9.1.2 炉体钢平台宜组装成门型框架后吊装就位,门型框架组装应控制柱脚板间距及框架对角线偏差。

9.1.3 钢柱的标高测量点应从钢柱顶部返线至钢柱下部统一尺寸位置,钢平台的校正应控制钢柱及平台梁标高偏差。

9.1.4 各立柱的纵向中心线的调整应以机组中心线为基准,各立柱的横向中心线的调整应以炉子横向中心线为基准。

9.1.5 各立柱垂直度宜采用经纬仪进行测量。

9.1.6 相邻立柱对角线应采用钢卷尺测量。

9.1.7 钢平台的柱间支撑应及时安装,并应形成稳定结构单元框架。

9.1.8 钢平台应先调整包括柱间支撑的稳定结构单元框架,后依次进行其余框架的调整。

9.1.9 柱梁连接面的接触面不应少于70%。

9.2 炉体钢平台验收

9.2.1 高强度螺栓安装应符合现行行业标准《钢结构高强度螺栓连接技术规程》JGJ 82 的有关规定。

检查数量:按节点数抽查10%,但不少于10处;

检验方法:检查安装质量记录,用扳手拧试,观察检查。

9.2.2 炉体钢平台及炉室的焊接要求应符合现行国家标准《现场设备、工业管道焊接工程施工质量验收规范》GB 50683 的有关规定。

　　检查数量：按构件数抽查10%，但不少于10件；
　　检验方法：观察检查。

9.2.3 钢平台安装允许偏差应符合表9.2.3的规定。

表9.2.3　钢平台安装允许偏差

项次	项　目	允许偏差(mm)	检验方法
1	标高	±5.0	用水准仪检查
2	纵、横向中心线	3.0	拉钢丝线、用钢直尺检查
3	垂直度	0.80/1000,且≤10.0	用经纬仪或线锤检查
4	对角线差	10	用钢直尺检查

　　检查数量：抽查10%，不得少于10件；
　　检验方法：应符合表9.2.3的相关规定。

9.3　炉室安装

9.3.1　炉室运输前炉室内部应焊接专用支撑防止变形，炉室吊装时应采用专用吊具及制造厂设置的吊点进行吊装。

9.3.2　炉室安装前应对炉室法兰的平整度、定位孔进行检查。

9.3.3　炉室宜分片供货到现场，在安装位置进行组装，宜先组装下部炉室，合格后再组装上部炉室。

9.3.4　上部炉室和下部炉室两端的纵向中心线的调整应以机组中心线为基准。

9.3.5　上部炉室、下部炉室、炉辊法兰的轴向中心的调整应以炉子横向中心线为基准。

9.3.6　炉室安装完成后，应检查穿带炉辊法兰面垂直度、中心标高，其结果应符合设计图纸规定。

9.3.7　炉室安装完成后，宜用专用工具检查穿带炉辊两端法兰的同心度，其结果应符合设计图纸规定。

9.3.8　炉室安装检验合格后，应对法兰连接部位进行封闭焊接。

9.4 炉室验收

9.4.1 炉室的焊接应符合现行国家标准《现场设备、工业管道焊接工程施工质量验收规范》GB 50683 的有关规定。

 检查数量：按构件数抽查10%，但不少于10件；
 检验方法：观察检查。

9.4.2 炉室安装允许偏差应符合表9.4.2的规定。

表 9.4.2　烘烤炉炉室安装允许偏差

项次	项 目	允许偏差(mm)	检验方法
1	炉底室标高	±3.0	用水准仪检查
2	炉底室纵、横向中心线	3.0	拉钢丝线、用钢直尺检查
3	炉顶室标高	±3.0	用水准仪检查
4	炉顶室纵、横向中心线	3.0	拉钢丝线、用钢直尺检查
5	炉室对角线差	5.0	用钢卷尺检查

 检查数量：全数检查；
 检验方法：应符合表9.4.2的相关规定。

9.5 炉内设备安装

9.5.1 炉内设备应在炉室安装及耐材砌筑验收合格后进行安装。
9.5.2 穿带炉辊轴承的装配应符合设计文件的规定。
9.5.3 穿带炉辊的纵向中心线的调整应以机组中心线为基准。
9.5.4 穿带炉辊的中心标高的调整应以炉辊法兰为基准。
9.5.5 穿带炉辊的轴向中心线应与炉辊法兰孔中心线相一致。
9.5.6 炉辊的水平度的调整应以辊面为基准。
9.5.7 炉辊与机组中心线的垂直度宜用摆杆、内径千分尺测量。

9.6 炉内设备验收

9.6.1 传动装置安装和联轴器装配应符合现行国家标准《机械设

备安装工程施工及验收通用规范》GB 50231 的有关规定。

检查数量:全数检查;

检验方法:检查安装质量记录,用百分表和塞尺检查。

9.6.2 炉内设备安装允许偏差应符合表 9.6.2 的规定。

表 9.6.2 炉内设备安装允许偏差

项次	项 目		允许偏差(mm)	检 验 方 法
1	炉辊	标高	±3.0	用水准仪检查
		纵、横向中心线	1.0	拉钢丝线、用钢直尺检查
		辊面水平度	0.10/1000	用水平仪检查
		辊子与机组纵向中心的垂直度	0.10/1000	挂钢丝线,用摆杆检查
2	风箱及漂浮器	标高	±5.0	用水准仪检查
		纵、横向中心线	3.0	拉钢丝线、用钢直尺检查

检查数量:全数检查;

检验方法:应符合表 9.6.2 的相关规定。

9.7 烘烤炉试运转

9.7.1 试运转应符合本规范 5.7.1 的相关规定。

9.7.2 电机驱动的炉辊单体无负荷试运转应连续运行 2h。

9.7.3 炉辊在运行中动作应平稳、转动灵活、无异常振动和声响。

9.7.4 风机运转应无卡阻和碰擦现象,叶轮旋转方向应正确,无异常振动和声响,运转时间不得少于 2h。

9.7.5 紧固件、连接件不得松动,介质管道应无泄漏现象。

10 环形退火炉

10.1 支撑辊、导向辊安装

10.1.1 中心标板及标高基准点设置,应符合下列规定:

1 环形炉的纵横中心和标高基准点设置应以控制网为依据,并埋设永久性中心标板和标高基准点;

2 支撑辊、导向辊的径向中心和切向中心线设置应以环形炉中心标板为基准,并做好标记。

10.1.2 内圈、外圈支撑辊宜在设备安装前做好标识。

10.1.3 支撑辊、导向辊的标高的调整应以其辊面为基准。

10.1.4 支撑辊、导向辊的纵横中心线的调整应以设备底座中心标记为基准。

10.1.5 支撑辊的水平度的调整应以辊面为基准。

10.2 支撑辊、导向辊验收

10.2.1 支撑辊、导向辊和底座间的连接螺栓应做到固定可靠,螺母、垫圈与结构件间接触良好。紧固后螺栓应露出螺母2扣~3扣,外露螺纹无损伤,螺栓拧入方向除构造原因外应一致。

检查数量:按节点数抽查10%,但不少于10处;

检验方法:用扳手拧试,观察检查。

10.2.2 支撑辊、导向辊安装允许偏差应符合表10.2.2的规定。

表10.2.2 支撑辊、导向辊安装允许偏差

项次	项 目	允许偏差(mm)	检验方法
1	支撑辊辊面标高	±0.50	用水准仪检查
2	支撑辊径向位置偏移	±3.0	用全站仪检查
3	支撑辊圆周方向位置偏移	±1.0	用全站仪检查

续表 10.2.2

项次	项 目	允许偏差(mm)	检 验 方 法
4	支撑辊水平度	0.20/1000	用水平仪检查
5	导向辊标高	±1.0	用水准仪检查
6	导向辊径向位置偏移	±1.5	用全站仪检查
7	导向辊圆周方向位置偏移	±1.5	用全站仪检查
8	导向辊垂直度	0.20/1000	用框式水平仪检查

检查数量:全数检查;

检验方法:应符合表10.2.2的相关规定。

10.3 炉体钢结构安装

10.3.1 钢结构表面应干净,无油污和泥沙。

10.3.2 柱子中心线设置应以环形炉的纵横中心线为依据。

10.3.3 钢结构吊装前应先安装滑动支座并固定,烘炉前应将滑动支座固定螺栓松开,确保炉体钢结构自由膨胀。

10.3.4 炉体钢结构框架结构宜在地面预拼成小单元后整体吊装就位。

10.3.5 柱梁连接面的接触面不应少于70%。

10.3.6 圆形不锈钢水封装置应分段安装在钢结构牛腿上,调整水封槽的水平度,合格后应对各分段的接口进行满焊。

10.4 炉体钢结构验收

10.4.1 高强度螺栓安装应符合现行行业标准《钢结构高强度螺栓连接技术规程》JGJ 82 的有关规定。

检查数量:按节点数抽查10%,但不少于10处;

检验方法:检查安装质量记录,用扳手拧试,观察检查。

10.4.2 炉体钢平台的焊接要求应符合现行国家标准《现场设备工业管道焊接工程施工质量验收规范》GB 50683 的有关规定。

检查数量:按构件数抽查10%,但不少于10件;

检验方法：观察检查。

10.4.3 炉体钢结构安装允许偏差应符合表 10.4.3 的规定。

表 10.4.3 炉体钢结构安装允许偏差

项次	项 目	允许偏差(mm)	检 验 方 法
1	炉体框架内、外立柱标高	±3.0	水准仪
2	炉体框架内、外立柱中心线	3.0	用水准仪检查
3	炉体框架内、外立柱垂直度	5.0/全高	吊线锤、用钢直尺检查
4	炉顶梁标高	±3.0	用水准仪检查
5	炉顶梁相对炉墙柱中心线偏移	3.0	拉钢丝线、吊线锤、用钢直尺检查
6	水封槽径向位置偏移	±10.0	拉钢丝线、吊线锤、用钢直尺检查
7	水封槽标高	±5.0	用水准仪检查

检查数量：全数检查；

检验方法：应符合表 10.4.3 的相关规定。

10.5 下部台车安装

10.5.1 台车下方圆周布置的液压驱动装置应在下部台车安装前安装。

10.5.2 每台下部台车宜在地面组装平台上组装成整体，并应检查台车几何尺寸、下表面水平度，验收合格后应进行栓焊连接，将组装好的下部台车逐台顺次吊装放置于支撑辊上。

10.5.3 在整个下部台车安装完并校正圆度后，应根据相邻台车实际间隙值配置垫片填塞，然后紧固连接螺栓。

10.6 下部台车验收

10.6.1 相邻下部台车间的连接螺栓应做到固定可靠，螺母、垫片与结构件间接触良好。紧固后螺栓应露出螺母 2 扣～3 扣，外露螺纹无损伤，螺栓拧入方向除构造原因外应一致。

检查数量:按节点数抽查10%,但不少于10处;
检验方法:用扳手拧试,观察检查。

10.6.2 下部台车安装允许偏差应符合表10.6.2的规定。

表10.6.2 下部台车安装允许偏差

项次	项目	允许偏差(mm)	检验方法
1	台车内环径向位置偏移	±5.0	用全站仪检查
2	台车组装对角线	5.0	用钢直尺检查
3	支撑辊轨道标高差	0.5	用水准仪检查

检查数量:全数检查;
检验方法:应符合表10.6.2的相关规定。

10.7 旋转钢平台安装

10.7.1 旋转钢平台宜按构件编号顺序安装。

10.7.2 旋转钢平台应以下平面导轨为基准进行调整。

10.7.3 旋转钢平台H形支撑梁与下部台车箱形牛腿连接位置应涂抹黄油。

10.7.4 旋转电气室应在旋转钢平台安装之前就位待安装,旋转钢平台安装完成后再安装旋转电气室。

10.8 旋转钢平台验收

10.8.1 旋转钢平台与下平面导轨的配合间隙应符合设计图纸的要求。

检查数量:按构件数抽查10%,但不少于10件;
检验方法:用钢直尺检查。

10.8.2 旋转钢平台安装允许偏差应符合表10.8.2的规定。

表10.8.2 下部台车安装允许偏差

项次	项目	允许偏差(mm)	检验方法
1	旋转钢平台轨道与分析仪接头底板标高	±2.0	用水准仪检查
2	旋转钢平台轨道水平度	0.50/1000	用水平仪检查

检查数量:全数检查;
检验方法:应符合表10.8.2的相关规定。

10.9 炉壳安装

10.9.1 中心线的调整应以烧嘴中心线为基准。

10.9.2 中心、垂直度校正合格后,应在炉壳壁板的对接处安装"V"形的膨胀节,膨胀节的焊接方式应为间断焊。

10.9.3 壁板底部不锈钢水封刀安装时应在水封刀与壁板间填充纤维绳。

10.10 炉壳验收

10.10.1 炉壳的焊接应符合现行国家标准《现场设备、工业管道焊接工程施工质量验收规范》GB 50683的有关规定。

检查数量:按构件数抽查10%,但不少于10件;
检验方法:观察检查。

10.10.2 炉壳安装允许偏差应符合表10.10.2的规定。

表10.10.2 炉壳安装允许偏差

项次	内容	允许偏差(mm)	检查方式
1	炉壳中心线	3.0	拉钢丝线、吊线锤,用钢直尺检查
2	炉壳垂直度	5.0/全高	吊线锤、用钢直尺检查

检查数量:抽查10%,不得少于10件;
检验方法:应符合表10.10.2的相关规定。

10.11 上部台车安装

10.11.1 上部台车耐材砌筑宜采用离线施工,应用水准仪对台车进行找平,然后进行耐材砌筑。

10.11.2 上部台车砌筑完成后宜采用离线烘烤,单套台车砌体施工完毕,经检查确认合格之后,自然干燥时间不得少于5d,然后装入烘烤炉进行烘烤。

10.11.3 上部台车烘烤期间的装、出炉和安装时宜采用专用吊具进行吊装。

10.11.4 上部台车吊装就位前应在两侧安装好水封刀。

10.12 炉门安装

10.12.1 炉门宜在地面进行组装。

10.12.2 炉门组装完成后应对水冷管进行严密性和强度试验,试验合格后应进行安装。

10.13 炉门验收

10.13.1 炉门与炉壳间的连接螺栓应做到固定可靠,螺母、垫片与结构件间接触良好。紧固后螺栓应露出螺母2扣~3扣,外露螺纹无损伤,螺栓拧入方向除构造原因外应一致。

检查数量:按节点数抽查10%,但不少于10处;

检验方法:用扳手拧试,观察检查。

10.13.2 炉门安装允许偏差应符合表10.13.2的规定。

表10.13.2 炉门安装允许偏差

项次	内 容	允许偏差(mm)	检 查 方 式
1	标高	±3.0	用水准仪检查
2	宽度方向水平度	0.50/1000	水平仪
3	立面垂直度	3.0/全高	吊线锤、用钢直尺检查

检查数量:全数检查;

检验方法:应符合表10.13.2的相关规定。

10.14 环形退火炉试运转

10.14.1 试运转应符合本规范第5.7.1条的相关规定。

10.14.2 圆形不锈钢水封装置应盛水做渗漏检查,以不漏水为合格。

10.14.3 在无负荷状态下,电磁阀单体动作应符合设计文件的规定。

10.14.4 电机转动方向、电机单体空运转的状态及性能以及交流变频电机单体的速度控制范围应根据设计要求确认。

10.14.5 各传感元件的准确性及可靠性应根据设计要求确认。

10.14.6 离合器及制动装置的灵敏性及可靠性应根据设计要求确认。

10.14.7 风机运转应无卡阻和碰擦现象,叶轮旋转方向应正确,无异常振动和声响,运转时间不得少于2h。

10.14.8 紧固件、连接件不得松动,介质管道无泄漏现象。

11 安全及环保

11.1 安 全

11.1.1 施工安全管理应符合现行国家标准《施工企业安全生产管理规范》GB 50656 的有关规定。

11.1.2 施工单位应对施工现场进行安全检查,制订安全管理措施。安全检查应符合现行行业标准《建筑施工安全检查标准》JGJ 59 的有关规定。

11.1.3 洞口、攀登、悬空操作及交叉作业应符合现行行业标准《建筑施工高处作业安全技术规范》JGJ 80 的有关规定。

11.1.4 脚手架的搭拆应符合现行行业标准《建筑施工扣件式钢管脚手架安全技术规范》JGJ 130 和《建筑施工碗扣式钢管脚手架安全技术规范》JGJ 166 的有关规定。

11.1.5 施工现场临时用电应符合现行行业标准《施工现场临时用电安全技术规范》JGJ 46 的有关规定。

11.1.6 施工现场应有专业人员负责用电设备和用电线路的安装、维护和管理。

11.1.7 吊装区域应设置安全警戒标志和警戒线。

11.1.8 施工现场应采取防火措施,临时建筑防火、在建工程防火、临时消防设施及防火管理应符合现行国家标准《建设工程施工现场消防安全技术规范》GB 50720 的有关规定。

11.1.9 起重机械的使用应符合现行行业标准《建筑机械使用安全技术规程》JGJ 33 的有关规定。

11.1.10 管道系统压力试验及吹扫应设置禁区,发现异常时,应及时卸压处理,严禁带压补漏与紧固螺栓。

11.2 环 保

11.2.1 工程建设过程中产生的烟气、废水、废渣、噪声及污染物排放,应符合现行有关建筑施工场界标准的规定。

11.2.2 防尘、防噪声、防振动、防电磁辐射、防暑与防寒设施,应符合国家现行有关职业健康监护技术规范。

附录 A 取向硅钢生产线设备安装分部分项工程划分表

表 A 取向硅钢生产线设备安装分部分项工程划分表

序号	分部工程名称	分项工程名称
1	常化酸洗机组入口段机械设备安装	工艺钢结构、钢卷输送小车及轨道、开卷机、矫直机、入口活套、切头剪、焊机、月牙剪、张力辊、纠偏辊、支撑辊、设备试运转等
2	常化酸洗机组出口段机械设备安装	工艺钢结构、张力辊、纠偏辊、支撑辊、抛丸机、出口活套、涂油机、月牙剪、圆盘剪、卷取机、钢卷输送小车及轨道、设备试运转等
3	常化酸洗机组工艺段机械设备安装	工艺钢结构、预冲洗槽、酸洗槽、漂洗槽、挤干辊、带钢干燥器、炉壳、入口密封装置、出口密封装置、炉辊、张力辊、纠偏辊、支撑辊、设备试运转等
4	单机架可逆轧机入口段设备安装	工艺钢结构、钢卷输送小车及轨道、开卷机、矫直机、入口活套、切头剪、焊机、月牙剪、张力辊、纠偏辊、支撑辊、设备试运转等
5	单机架可逆轧机轧机设备安装	轧机底座、轧机机架、轧辊调整装置、轧机传动装置、轧机换辊装置、乳化液系统、设备试运转等
6	单机架可逆轧机出口段设备安装	工艺钢结构、张力辊、纠偏辊、支撑辊、出口活套、卷取机、设备试运转等
7	脱碳退火涂层机组入口段机械设备安装	工艺钢结构、钢卷输送小车及轨道、开卷机、矫直机、喷射清洗槽、刷洗机、浸洗槽、电解清洗槽、漂洗槽、带钢干燥器、入口活套、焊机、碾压辊、月牙剪、张力辊、纠偏辊、支撑辊、设备试运转等

续表 A

序号	分部工程名称	分项工程名称
8	脱碳退火涂层机组出口段机械设备安装	工艺钢结构、张力辊、纠偏辊、支撑辊、出口活套、横切剪、卷取机、翻钢机、钢卷小车、设备试运转等
9	脱碳退火涂层机组工艺段机械设备安装	工艺钢结构、炉壳、入口密封装置、出口密封装置、炉辊、涂层机、烘烤炉、张力辊、纠偏辊、支撑辊、设备试运转等
10	高温罩式退火炉设备安装	工艺钢结构、加热罩、炉台、内罩、通风机、设备试运转等
11	高温环形炉设备安装	工艺钢结构、炉底支撑辊、炉底传动机械、炉底导向辊、下部台车、上部台车、炉壳、烟道和烟囱、炉门及升降装置、水封槽、设备试运转等
12	热拉伸机组入口段设备安装	工艺钢结构、钢卷输送小车及轨道、翻钢机、开卷机、缝合机、碾压机、月牙剪、刷洗机、入口活套、张力辊、纠偏辊、支撑辊、设备试运转等
13	热拉伸机组出口段设备安装	工艺钢结构、张力辊、纠偏辊、支撑辊、出口活套、横切剪、卷取机、设备试运转等
14	热拉伸机组工艺段设备安装	工艺钢结构、酸洗槽、漂洗槽、干燥器、涂层机、炉壳、入口密封装置、出口密封装置、炉辊、张力辊、纠偏辊、支撑辊、设备试运转等
15	精整机组设备安装	钢卷输送小车及轨道、开卷机、入口剪、圆盘剪、出口剪、卷取机、出口钢卷称重装置、设备试运转等
16	液压、润滑、气动系统安装	成套液压站、成套润滑站、阀架和控制阀架、管道制作安装、管道冲洗和压力试验、调试和试运转

附录B 取向硅钢生产线设备安装分项工程质量验收记录

表 B 取向硅钢生产线设备安装分项工程质量验收记录

单位工程名称			分部工程名称	
施工单位			项目经理	
监理单位			总监理工程师	
分包单位			分包项目经理	
施工执行标准名称及编号				
检查项目		质量验收规范规定	施工单位检验结果	监理/建设单位验收结果
主控项目				
一般项目				
施工单位检验评定结果	专业技术负责人： 年 月 日		质量检查员： 年 月 日	
监理/建设单位验收结论	监理工程师/建设单位项目技术负责人： 年 月 日			

附录C 取向硅钢生产线设备安装分部工程质量验收记录

表C 取向硅钢生产线设备安装分部工程质量验收记录

单位工程名称				
施工单位			分包单位	
序号	分项工程名称	施工单位检查评定		监理/建设单位验收意见
设备单体无负荷联动试车				
质量控制资料				
验收单位	施工单位	项目经理： 年 月 日	项目技术负责人： 年 月 日	项目质量负责人： 年 月 日
	分包单位	项目经理： 年 月 日	项目技术负责人： 年 月 日	项目质量负责人： 年 月 日
	监理/建设单位	总监理工程师/建设单位项目技术负责人： 年 月 日		

附录 D 取向硅钢生产线设备安装单位工程质量验收记录

表 D-1 取向硅钢生产线设备安装单位工程质量竣工验收记录

单位工程名称				
施工单位		技术负责人	开工日期	
监理单位		项目技术负责人	交工日期	
序号	项目	验收记录	验收结论	
1	分部工程	共 分部,经查 分部符合标准及设计要求 分部		
2	质量控制资料	共 项,经查符合要求 项		
3	观感质量	共抽查 项,符合要求 项,不符合要求 项		
4	综合验收结论			
参加验收单位	建设单位	监理单位	施工单位	设计单位
	(公章) 单位/项目负责人: 年 月 日	(公章) 总监理工程师: 年 月 日	(公章) 单位负责人: 年 月 日	(公章) 单位/项目负责人: 年 月 日

表 D-2 取向硅钢生产线设备安装单位工程质量控制资料核查记录

单位工程名称		施工单位		
序号	资料名称	份数	核查意见	核查人
1	图纸会审			
2	设计变更			
3	竣工图			
4	洽谈记录			
5	设备基础中间交接记录			
6	设备基础沉降记录			
7	设备基准线、基准点测量记录			
8	设备、构件、原材料质量合格证明文件			
9	焊工合格证编号一览表			
10	隐蔽工程验收记录			
11	焊接质量检验记录			
12	设备、管道吹扫、冲洗记录			
13	设备、管道压力试验记录			
14	氧气设备及管道脱脂记录			
15	设备安全装置检测报告			
16	设备无负荷试运转记录			
17	分项工程质量验收记录			
18	分部工程质量验收记录			
19	单位工程观感质量检查记录			
20	单位工程质量竣工验收记录			
21	工程质量事故处理记录			

结论： 施工单位项目经理： 年 月 日	结论： 总监理工程师/建设单位项目负责人： 年 月 日

表 D-3 取向硅钢生产线设备安装单位工程观感质量验收记录

单位工程名称							施工单位				
序号	项目	抽查质量状况								质量评价	
										合格	不合格
1	螺栓连接										
2	密封状况										
3	管道敷设										
4	隔声与绝热材料										
5	油漆涂刷										
6	走台、梯子、栏杆										
7	焊缝										
8	切口										
9	成品保护										
10	文明施工										
观感质量综合评价		施工单位专业质量检查员： 年 月 日						专业监理工程师： 年 月 日			
		施工单位项目经理： 年 月 日						总监理工程师/建设单位项目负责人： 年 月 日			

附录 E 取向硅钢生产线设备无负荷试运转记录

表 E 取向硅钢生产线设备无负荷试运转记录

试运转日期　　　年　月　日

单位工程名称		分部工程名称		分项工程名称	
施工单位				项目经理	
监理单位				总监理工程师	
分包单位				分包项目经理	
序号	试运转检查项目		试运转情况		试运转结果
评定意见					

质量检查员： 年 月 日	技术负责人： 年 月 日	项目经理： 年 月 日

监理工程师/建设单位项目技术负责人：   年 月 日

本规范用词说明

1 为便于在执行本规范条文时区别对待,对要求严格程度不同的用词说明如下:
  1)表示很严格,非这样做不可的:
    正面词采用"必须",反面词采用"严禁";
  2)表示严格,在正常情况下均应这样做的:
    正面词采用"应",反面词采用"不应"或"不得";
  3)表示允许稍有选择,在条件许可时首先应这样做的:
    正面词采用"宜",反面词采用"不宜";
  4)表示有选择,在一定条件下可以这样做的,采用"可"。

2 条文中指明应按其他有关标准执行的写法为:"应符合……的规定"或"应按……执行"。

引用标准名录

《混凝土结构工程施工质量验收规范》GB 50204
《机械设备安装工程施工及验收通用规范》GB 50231
《施工企业安全生产管理规范》GB 50656
《现场设备、工业管道焊接工程施工质量验收规范》GB 50683
《建设工程施工现场消防安全技术规范》GB 50720
《建筑机械使用安全技术规程》JGJ 33
《施工现场临时用电安全技术规范》JGJ 46
《建筑施工安全检查标准》JGJ 59
《建筑施工高处作业安全技术规范》JGJ 80
《钢结构高强度螺栓连接技术规程》JGJ 82
《建筑施工扣件式钢管脚手架安全技术规范》JGJ 130
《建筑施工碗扣式钢管脚手架安全技术规范》JGJ 166

中华人民共和国国家标准

取向硅钢生产线设备安装与验收规范

GB 51104 - 2015

条 文 说 明

制 订 说 明

《取向硅钢生产线设备安装与验收规范》GB 51104—2015，经住房城乡建设部 2015 年 5 月 11 日以第 813 号公告批准发布。

本规范制订过程中，编制组对国内外取向硅钢生产工艺、机械设备的现状和发展趋势进行了深入的调查研究，总结了我国取向硅钢生产线设备安装工程建设的实践经验，同时参考了国外相关先进技术法规、技术标准。

为便于广大设计、施工、科研、学校等单位有关人员在使用本规范时能正确理解和执行条文规定，《取向硅钢生产线设备安装规范》编制组按章、节、条顺序编制了本规范的条文说明，对条文规定的目的、依据以及执行中需注意的有关事项进行了说明，还着重对强制性条文的强制性理由作了解释。但是，本条文说明不具备与标准正文同等的法律效力，仅供使用者作为理解和把握标准规定的参考。

目 次

1 总 则 …………………………………………………（59）
2 基本规定 ………………………………………………（60）
3 设备基础、地脚螺栓和垫板 …………………………（63）
　3.1 设备基础施工 ………………………………………（63）
　3.2 设备基础验收 ………………………………………（63）
　3.3 地脚螺栓安装 ………………………………………（63）
　3.4 地脚螺栓验收 ………………………………………（63）
　3.5 垫板安装 ……………………………………………（64）
　3.6 垫板验收 ……………………………………………（64）
4 设备及材料进场 ………………………………………（65）
　4.1 一般规定 ……………………………………………（65）
　4.2 设备及材料验收 ……………………………………（65）
6 带钢连接设备 …………………………………………（66）
　6.3 激光焊机安装 ………………………………………（66）
　6.5 窄搭接焊机安装 ……………………………………（66）
7 带钢表面处理设备 ……………………………………（67）
　7.9 涂层机安装 …………………………………………（67）
8 卧式连续退火炉 ………………………………………（68）
　8.3 炉室安装 ……………………………………………（68）
　8.7 炉体气密性试验 ……………………………………（68）
10 环形退火炉 ……………………………………………（69）
　10.1 支撑辊、导向辊安装 ………………………………（69）
　10.3 炉体钢结构安装 ……………………………………（69）
　10.9 炉壳安装 ……………………………………………（70）

· 57 ·

10.11 上部台车安装 …………………………………………（72）
11 安全及环保 ………………………………………………（73）
11.1 安全 ……………………………………………………（73）

1 总　　则

1.0.2 本条明确了本规范的适用范围,取向硅钢生产线主要包括常化酸洗机组、单机架可逆轧机机组、脱碳退火涂层机组、高温罩式炉机组、高温环形炉机组、热拉伸平整机组、精整机组等。无取向硅钢生产线的主要机组设备与取向硅钢生产线主要机组设备相类似,故无取向硅钢生产线设备安装与验收可参照本规范执行。

2 基本规定

2.0.1 取向硅钢生产线设备工程是专业性很强的工程施工项目，为保证工程施工质量，本条规定从事取向硅钢生产线设备安装的施工企业应具有相应的资质，强调市场准入制度。

2.0.3 施工过程中，经常会遇到需要修改设计的情况。本条文明确规定，施工单位无权修改设计图纸，施工中发现的施工图纸问题，应及时与建设单位和设计单位联系，修改施工图纸必须有设计单位的设计变更正式手续。

2.0.4 使用不合格的计量器具，会对工程造成严重后果。取向硅钢机械设备安装中使用的计量器具必须按国家计量规定，定期计量检验合格，并在检定有效期内。

2.0.6 取向硅钢生产线工程设备安装量大，种类多，各单体设备关联紧密，在设备安装前需要统一设置中心基准线和基准点，埋设永久性中心标板和标高基准点，方便各单体设备安装过程中使用。设备安装过程中应定期对永久性中心标板和标高基准点进行复测，并要形成书面记录留存。基准线和基准点的设置要符合以下原则：

（1）根据设计、安装的需要并按施工图及测量控制网绘制中心标板及标高基准点布置图，按布置图设置中心标板及标高基准点，并测量投点。应埋设永久性中心标板和标高基准点。设备安装过程中应定期对永久性中心标板和标高基准点进行复测。

（2）中心标板、基准点埋设要牢固并应予以保护。

（3）基准线和基准点的施工测量应符合现行行业标准《冶金建筑安装工程施工测量规范》YBJ 212 的有关规定。

（4）基准线和基准点的施工测量中整个机组应尽量一次性施

测完成,不宜间隔时间分多次测量,特别是机组纵向中心线,要确保其直线性。

2.0.7 与取向硅钢生产线设备工程相关的专业很多,例如土建专业、工业炉专业、机械管道专业、电气专业等。各专业之间应按规定的程序进行交接检查,例如土建基础完工后交设备安装,设备安装完工后交工业炉砌筑,各专业之间交接时,应进行检验并形成记录。

2.0.8 取向硅钢生产线工程设备安装中的隐蔽工程主要是指设备的二次灌浆、变速箱或齿轮箱的封闭等。二次灌浆是在设备安装完成并验收合格后,对基础和设备底座间进行灌浆,二次灌浆应符合设计技术文件和现行国家标准《机械设备安装工程施工及验收通用规范》GB 50231 的规定。

2.0.9 取向硅钢生产线工程设备的安全保护装置是保障设备安全运行和作业人员安全应的必要设施,其安装位置及要求要符合设计文件的规定,在机组试运转中需要对安全保护装置的功能进行调试和试运转,其功能必须达到设计文件的要求。

2.0.10 根据现行国家标准《工业安装工程质量检验评定统一标准》GB 50252 的有关规定,结合取向硅钢生产线工程设备安装的特点,本条文给出了取向硅钢生产线工程设备安装分项工程、分部工程和单位工程划分的原则,本条文对分项工程、分部工程和单位工程划分是针对新建工程的,对应改扩建工程可根据工程的实际情况做适当的调整。

2.0.12 分项工程是工程验收的最小单位,是整个工程质量验收的基础。分项工程质量检验的主控项目是保证工程安全和使用功能的决定性项目,必须全部符合质量验收规范的规定,不允许有不符合要求的检验结果;一般项目的检验也是重要的,本条对机械设备工程和工艺钢结构工程的一般项目分别给出了不同的验收要求。

2.0.13 分部工程验收在分项工程验收的基础上进行。本条文给出了分部工程验收合格的条件:构成分部工程的各分项工程验收合格,质量控制资料完整,设备单体无负荷试运转合格,分部工程验收合格,设备的安全防护设施必须齐全、可靠,限位开关动作应准确无误。

2.0.14 单位工程的验收除构成单位工程的各分部工程验收合格,质量控制资料完整,设备无负荷试运转合格外,还须由参加验收的各方人员共同进行观感质量检查。

2.0.15 观感质量验收,往往难以定量,只能以观察、触摸或简单的测量方法,由个人的主观印象判断为合格、不合格的质量评价,不合格的检查点,应通过返修处理。

2.0.17 机组设备的功能和安全使用是每条生产线的最基本的要求,如果功能或安全使用都无法保证,这样的工程质量是无法满足生产线最基本的要求的,因此此条作为强制性条文,规定必须满足生产线最基本的要求才能验收。

3 设备基础、地脚螺栓和垫板

3.1 设备基础施工

3.1.1 硅钢生产线工程设备的基础工程,是由土建专业施工,土建专业应按现行国家有关标准验收后,向设备安装专业进行中间交接,未经验收和中间交接的设备基础,不得进行设备安装。

3.1.4 明确了设备基础交接时强度应达到设计文件规定。

3.1.8 机组的高架平台基础和部分重要设备的基础应进行沉降观测并形成观测记录。

3.2 设备基础验收

3.2.2 设备安装前,应按施工图和测量控制网确定设备安装的基准线。所有设备安装的平面位置和标高,均应以确定的安装基准线为准进行测量。生产线的纵、横向中心和生产线上的主体设备的中心线均应埋设永久性的中心线标板,主体设备旁应埋设永久性标高基准点,使安装施工和今后的维修均有可靠的基准。

永久性中心标板和标高基准点在工程竣工验收后,要移交工程接收单位供今后生产检修使用。因此要求采用铜材或者不锈钢材质制作,设置要牢固并应便于维护。

3.3 地脚螺栓安装

3.3.1 规定地脚螺栓必须具有质量合格证明文件,无质量合格证明文件的地脚螺栓不能使用。

3.4 地脚螺栓验收

Ⅰ 主控项目

3.4.1 取向硅钢生产线机组设备的地脚螺栓,在设备生产运行过程中受冲击力,涉及设备的安全使用功能,因此将地脚螺栓的规格和紧固必须符合设计技术文件要求列入主控项目。设计技术文件明确规定了紧固力值的地脚螺栓,应按规定进行紧固,并有紧固记录。

3.5 垫板安装

3.5.1 设备垫板的设置,设计技术文件中有要求的应按设计技术文件要求设置;设计技术文件无要求时,每个地脚螺栓的旁边应设置两个垫板组,垫板组应靠近地脚螺栓和设备主要受力部位。垫板施工应符合现行国家标准《机械设备安装工程施工及验收通用规范》GB 50231 的有关规定。

3.5.2 座浆法安装垫板是在基础上用高强度无收缩混凝土埋设垫板,垫板的标高根据设备标高计算得出。座浆法安装垫板的施工工艺应符合国家现行标准的有关规定。近年来,在大型设备安装中,也有采用灌浆法安装垫板的,其方法是先将平垫板固定并调整好,再用高强度微膨胀灌浆料浇注。

3.6 垫板验收

Ⅰ 主控项目

3.6.1 规定座浆法设置垫板时,其混凝土的强度要在 48h 内达到设计强度,以便于设备的安装。

4 设备及材料进场

4.1 一般规定

4.1.3 设备安装前,设备开箱检验是必要的程序,设备开箱时建设、施工、设备厂家等各相关方代表均应参加,并应形成验收记录。检验内容主要有:设备名称、规格、型号、数量、箱号、设备表面质量、有无缺损件、随机文件、专用工具、备品备件、混装设备清点分箱分类等。

4.2 设备及材料验收

4.2.1 取向硅钢生产线设备工程安装中所涉及的设备、标准件等进场应进行检查验收。验收记录应包括设备型号、规格和数量等内容。设备质量合格证明文件应齐全。

4.2.2 取向硅钢生产线设备工程安装中所涉及的材料进场应进行检查验收。验收记录应包括原材料规格、进场数量、用在何处、外观质量等内容。产品质量合格证明文件应齐全,并检查是否与实物相符。

6 带钢连接设备

6.3 激光焊机安装

6.3.2 激光焊机一般为整体设备送现场,在设备吊装中需要注意对设备本体的管道电气线路的保护。

6.5 窄搭接焊机安装

6.5.1 窄搭接焊机通常重心为偏心的,在吊装时要采用专用吊具或者调整好吊点。

7 带钢表面处理设备

7.9 涂层机安装

7.9.1 涂层机安装过程中,为保护涂敷辊面,涂敷辊必须在设备单体试车前安装。涂敷辊水平度应测量两次,第一次在喷涂位置先测量出一组数据,之后把涂辊移动一个行程,再次测量一组数据。前后测量出的两组数据都要在允许偏差值要求范围内。

8 卧式连续退火炉

8.3 炉室安装

8.3.1 卧式连续退火炉炉室由箱型炉壳、炉壳之间的伸缩节及出入口密封装置等组成。

8.7 炉体气密性试验

8.7.1 试验范围应包括炉体、炉体循环风管、往炉内的供气管道。退火炉的气密性试验的目的,就是要在单试运转之前检查退火炉炉体以及循环管道的焊缝、垫片密封有无泄漏。退火炉的密封性的好坏是保证以后硅钢产品生产质量的关键。

10 环形退火炉

10.1 支撑辊、导向辊安装

10.1.1 环形炉支撑辊分内环、外环两种,主要用于支撑下部台车以及下部台车上方的上部台车及钢卷。导向辊的作用是防止环形炉在旋转过程中产生径向偏差。支撑辊、导向辊安装可采用活动线架配合校正,如图1所示:

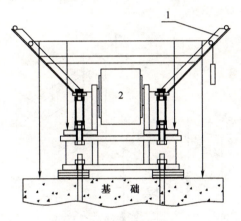

图1 支撑辊中心校正
1—线架;2—支撑辊

支撑辊、导向辊验收可用全站仪和辅助工具配合检测,包括支撑辊中心线、角度等的检测。如图2所示:

10.3 炉体钢结构安装

10.3.4 炉体框架结构单件多,而且内侧结构还为悬挑形式,外侧结构与支座是铰接,所以框架结构宜在地面将单构件预拼成小单

元后再安装,这样既确保了安装就位后框架的稳定性,又减少了高处作业的工程量。炉体钢结构组装如图3所示:

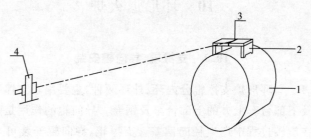

图2 支撑辊角度检测

1—支撑辊;2—辅助工具;3—中线刻痕;4—全站仪

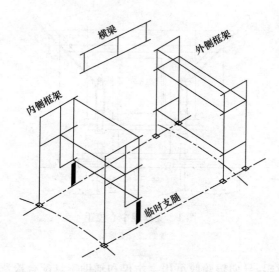

图3 小单元框架安装图

10.9 炉壳安装

10.9.1 环形炉锚固件在炉壳板安装前进行,炉壳壁板和炉壳顶板的锚固件离线定位及焊接分别如图4、图5所示。

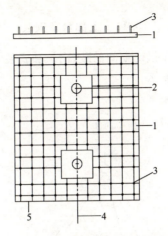

图 4　炉壳壁板锚固件离线定位及焊接
1—壁板;2—烧嘴;3—锚固件;4—放线基准;5—放线基准

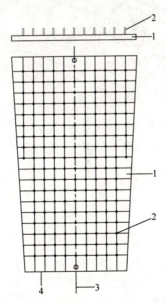

图 5　炉壳顶板锚固件离线定位及焊接
1—炉体顶板;2—锚固件;3—放线基准;4—放线基准

10.11 上部台车安装

10.11.3 上部台车烘烤期间的装、出炉和安装时应采用专用吊具进行吊装(如图 6 所示)。

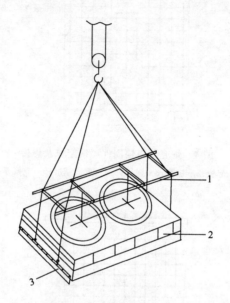

图 6 上部台车吊装
1—吊架;2—上部台车;3—水封刀

11 安全及环保

11.1 安　全

11.1.7 吊装区域设置安全警戒标志和警戒线的目的是提示非作业人员严禁入内，否则，一旦进入，就可能造成人身伤害，所以把它列为强制性条文。